Storïau Llynnoedd Cymru

Cysgodion yn y Dyfroedd

gan

Margaret Isaac

Darluniau gan

Margaret Jones

GWASG APECS CAERLLION

Cyhoeddwyd gan
Wasg APECS
Caerllion
Cymru DU

Golygu a dylunio gan
Wasg APECS Caerllion

Trosiad Cymraeg gan Juli Paschalis

ISBN 978 0 9548940 7 8

Argraffwyd yng Nghymru gan Wasg Dinefwr, Llandybïe

Cynnwys

Gan yr un awdur

Tales of Gold: Storïau am Ogofâu, Aur, a Hud a Lledrith.

Nia and the Magic of the Lake: Stori am gyfeillgarwch yn tyfu rhwng bachgen a merch yn erbyn cefndir chwedl Llyn y Fan Fach.

Sir Gawain and the Green Knight: Mae'n amser Nadolig yn llys y Brenin Arthur. Mae Gawain, nai Arthur, yn derbyn her gan gawr hud.

Rhiannon's Way: Mae Caradog, Pendefig Celtaidd, wedi ei gipio gan y Rhufeiniaid. Mae ei ferch Rhiannon yn cychwyn ar daith i'w achub â chymorth ei ffrind Brychan ac ychydig o help gan ebol hud a drych hud.

The Tale of Twm Siôn Cati: Stori am sut y bu i Gymro herio gorthrwm y Tuduriaid ar ran y tlodion yn yr un modd ag arwr Celtaidd arall, yr herwr Albanaidd, Rob Roy.

Language Resources for Schools: Wedi eu seilio ar ac yn ategu y llyfrau ffuglen a nodir uchod.

Cyhoeddiadau ar y gweill

Thomas Jones alias Twm Siôn Cati: Digwyddiadau ym mywyd Thomas Jones wedi i Elisabeth I arbed ei einioes ar ôl ei gyfnod fel yr herwr Twm Siôn Cati.

Storïau Llynnoedd Cymru: Llyfr Dau.

Rhagair

PLESER PUR YW ymweld â Llynnoedd Cymru. Fe ddowch chi o hyd i beirannau, fel Llyn Glaslyn sinistr, llynnoedd mawrion fel Llyn Syfaddan tangnefeddus, llynnoedd bychain yn crogi ar ochrau'r mynydd, fel Llyn Llydaw anghynnes, wedi ei guddio dan wyneb y mynydd fel Llyn Cwm Llwch annwyl, neu'n gorwedd ynghudd dan y Mynydd Du fel Llyn y Fan Fach hudolus.

Mae llynnoedd Cymru yn amrywio o ran maint, ffurf, llystyfiant a lleoliad ac maent yn newid o hyd, oherwydd y tywydd, yr hinsawdd, amser ac ymyrraeth dyn. Mae'r elfennau hyn yn eu gwneud yn fythgofiadwy a'u storïau yn eu gwneud yn unigryw. Storïau am hudoliaeth, am farchogion mewn arfwisg, trysor coll, ysbrydion yr isfyd, bwystfilod yn llercian dan y dŵr, pentrefi a foddwyd a diwylliannau coll.

Rwyf wedi cael blas mawr ar ymweld â'r llynnoedd, a siarad gyda phobl leol. Cefais fy ysbrydoli gan yr awdurdodau mawr ar Gymru a'r byd Celtaidd, awduron fel Syr John Rhys, Gwynfor Evans, Hywel Dda a Gerallt Gymro. Rwy'n ddyledus i'r pysgotwr uchel ei barch, Frank Ward, am fy arwain ar drywydd Llynnoedd Cymru. Arweiniodd ei lyfr fi i'r lleoliadau a'r storïau a gysylltir â'r llynnoedd a thrwyddo ef y dysgais fod mwy na 550 o lynnoedd yng Nghymru!

Wedi dwy flynedd o waith ymchwil, rwyf wedi casglu dros 56 o wahanol storïau ac wedi cynnwys pump o'r rhain yn fy llyfr cyntaf.

Tybiaf fod *Cysgodion yn y Dyfroedd* yn deitl addas. Rwyf wedi syllu yn aml ar ddyfroedd y llynnoedd rwyf wedi ymweld â nhw gan gredu fy mod yn gweld adlewyrchiad y coed a'r mynyddoedd uwchben ond, yn fy nychymyg i, gallent fod yn Wragedd Annwn, y Gunnilda anfad, neu Gruffudd, gwir Dywysog olaf Cymru.

Gobeithio y byddwch chi yn mwynhau darllen y storïau gymaint ag yr wyf fi wedi mwynhau eu hysgrifennu.

Margaret Isaac

Diolchiadau

Rwyf yn ddiolchgar iawn i Sain Ffagan: Amgueddfa Werin Cymru am ganiatáu i fi argraffu'r arlunwaith, nas cyhoeddwyd o'r blaen, sy'n berthnasol i Lyn Cwm Llwch, Llyn Syfaddan, Pwll Cynffig a Llyn y Fan Fach. Estynnir diolch yn arbennig i Dr Robin Gwyndaf, Cymrawd Anrhydeddus Amgueddfa Werin Cymru, am ei gefnogaeth gyson a'i anogaeth ac i Lowri Jenkins, Archifydd, am ei chymorth gyda'r arlunwaith.

Mae'r lluniau a ddangosir yn stori Llyn Llech Owain wedi eu cynnwys, diolch i Y Lolfa, gan iddynt gael eu cyhoeddi yn llawn yn y llyfr *Y Brenin Arthur*, gan Gwyn Thomas.

Dirgelwch Llyn Cwm Llwch

GAFAELODD Y TAD yn dynn yn llaw ei ferch. Penliniai'r ddau ar lan llyn prydferth Cwm Llwch. Noswyl Gŵyl Ifan oedd hi, gyda lleuad lawn.

"Fedri di weld?" sibrydodd y tad.

Crychodd Catrin ei llygaid a syllu ar draws y dŵr.

"Dwi ddim yn siŵr," petrusodd hi.

"Fan yna! Fan yna!" meddai ei thad yn gynhyrfus. "Mae hi'n eistedd ar y dŵr."

"Edrych," dywedodd eto, "fe allai hi ddiflannu a fyddi di fyth ei gweld hi eto."

Canolbwyntiodd Catrin. Roedd yn anodd gweld; codai niwl o'r llyn tywyll ac ymrithiai'r creigiau geirwon uwchben. Daliodd Catrin ei gwynt. Gwelodd gip sydyn ar wraig dal a hardd oedd fel petai'n penlinio ar wyneb y dŵr.

Symudodd hi ddim, gan syllu i'r pellter. Llifai ei gwallt dros ei hysgwyddau i'w chanol; disgynnai gŵn o feinwe dros ei hysgwyddau a llifo o'i hôl. Gallai Catrin weld adlewyrchiad y wraig yn y dŵr llonydd. Ond wrth iddi rythu ar y dylwythen, dechreuodd honno doddi i'r gwyll nes diflannu'n llwyr.

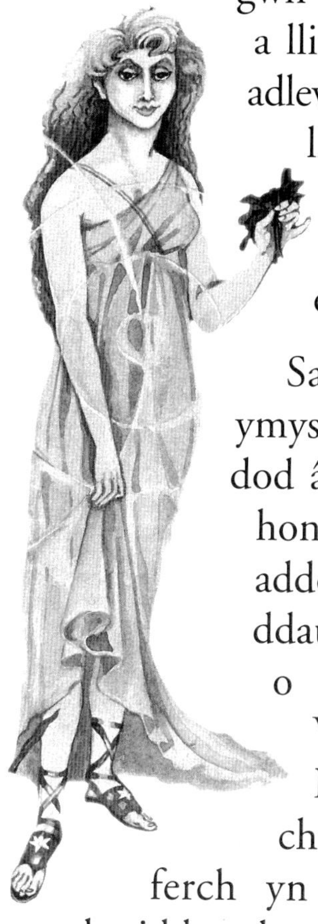

Safodd y tad a'i ferch ac ymystwytho. Roedd Dafydd wedi dod â'i ferch at y llyn ar y noson honno ar ganol haf. Roedd wedi addo iddi y gallent, os oedd y ddau yn ffodus iawn, weld un o dylwyth teg y dŵr, neu Wragedd Annwn. Gwyddai Dafydd gryn dipyn am chwedlau Cymru er bod ei ferch yn meddwl weithiau ei fod braidd yn benchwiban.

Yn ganolig o ran maint, roedd gan dad Catrin wallt cyrliog tywyll a llygaid brown. Byddai rhai pobl yn credu mai dyn digon cyffredin yr olwg oedd e, ond credai Catrin mai ef oedd y dyn mwyaf golygus iddi hi ei weld erioed. Nid ei bod wedi talu gormod o sylw i ddynion eraill, ar wahân i'w hewythrod a'i chefndryd a'r gweithwyr fyddai'n rhoi help llaw ar y fferm lle roedden nhw'n byw.

Wyth oed oedd Catrin, ac yn tyfu'n gyflym, meddyliodd Dafydd. Roedd ganddi wyneb pert a llond pen o wallt lliw aur wedi ei glymu'n ddwy blethen hir ar hyd ei chefn. Fel ei thad, roedd ganddi hithau hefyd lygaid brown.

"Pwy oedd hi?" gofynnodd.

"Un o Forynion hardd y Llyn; Gwragedd Annwn," atebodd Dafydd.

"Wnei di ddweud eu hanes nhw wrtha i eto?" meddai Catrin. Eisteddodd y ddau ar lan y llyn; rhoddodd y tad ei fraich am ysgwyddau ei ferch a dechrau.

"Amser maith yn ôl, yn yr hen ddyddiau, roedd pobl yn byw yng ngwaelod yr hyn sydd bellach yn llyn."

Edrychodd y ferch arno'n ddryslyd.

"Roedden nhw'n byw o dan y dŵr?"

"Na," chwarddodd Dafydd. "Miloedd o flynyddoedd yn ôl, lle mae'r llyn nawr, roedd y tir yn sych. Ffurfiwyd Llyn Cwm Llwch flynyddoedd yn ddiweddarach," eglurodd. "Penderfynodd pobl fyw yn y lle hwn gan fod y tir yn ffrwythlon a chysgodol. Roedden nhw'n bobl heddychlon, yn fwyn a charedig ond diflannu wnaethon nhw, amser maith yn ôl. Mae rhai'n dweud mai Gwragedd Annwn yw eneidiau'r gwragedd oedd yn byw y pryd hwnnw."

Oedodd Dafydd ac edrych dros y llyn, yn hel meddyliau.

"Mae rhai yn credu bod drws i'w gael mewn craig ar ochr y llyn, ar fore Gŵyl Ifan. Byddai unrhyw un oedd yn ddigon dewr, ddyddiau a fu, i fentro trwy'r drws hwn yn cael hyd i lwybr cudd oedd yn arwain at ynys fechan ar ganol y llyn. A dyna lle safai gardd brydferth lle roedd Gwragedd Annwn yn byw. Byddent yn estyn croeso caredig i'w gwesteion, yn cynnig bwydydd amheuthun iddyn nhw ac yn eu difyrru â cherddoriaeth lesmeiriol.

Yn anffodus, roedd un ymwelydd o'r tir ger y llyn wedi gwylltio Gwragedd Annwn yn gacwn. Er bod y merched wedi ei drin yn garedig a chynnes, yn ôl eu harfer, roedd e am brofi i'w ffrindiau ei fod wedi cwrdd â'r tylwyth teg rhyfedd hyn. Felly fe ddygodd flodyn o'r ynys hud. Yr eiliad y camodd i'r ochr arall i'r drws yn y graig, diflannodd y blodyn a disgynnodd y dyn i'r llawr yn anymwybodol! Doedd y gwesteion eraill ddim wedi sylwi ar y lladrad a dangosodd y tylwyth teg ddim o'u dicter at y rhain. Ffarweliodd pawb â'i gilydd yn foesgar a dychwelyd i'w cartrefi ger y llyn. Ond ers y diwrnod hwnnw mae'r drws wedi ei gau yn dynn."

"Am stori hyfryd," ebychodd Catrin. "Byddwn i wrth fy modd yn cwrdd â'r merched caredig yna a gweld eu gardd gyfareddol."

"Mae pobl eraill yn teimlo fel ti," meddai ei thad. "Maen nhw hefyd yn sefyll ar lan y llyn ar Noswyl Gŵyl Ifan, gan obeithio dod o hyd i'r drws yn y graig, ond fu dim golwg o ynys y tylwyth teg byth oddi ar hynny."

Eisteddodd Catrin yn feddylgar ar lan y llyn. Gadawodd i'r pridd mân wrth ei hochr lifo trwy ei llaw a dychmygodd ei hun yn ymweld â'r tylwyth teg yn eu hynys hud o dan y llyn.

Aeth Dafydd yn ei flaen:

"Credai'r bobl leol fod Gwragedd Annwn wedi gadael y llyn a chwilio am le mwy diogel i fyw ynddo. Tybed oedden nhw wedi gadael trysor yno? Aeth criw o ddynion ati i wagio'r llyn i weld beth allent ei ddarganfod yn y gwaelod.

Cloddiwyd ffos ddofn ar lan y llyn. Pan oeddynt ar fin torri'r dorlan a rhyddhau'r dŵr, daeth fflach o fellt a tharan gref. Yn eu hofn, rhuthrodd y dynion i chwilio am gysgod. Ac wrth iddyn nhw lynu yn ei gilydd mewn dychryn, cododd dyn anferth o grombil y llyn.

"Rydych wedi tarfu ar dawelwch Llyn Cwm Llwch." Atseiniodd rhuadau'r cawr o gwmpas llethrau'r mynydd. "Byddwch yn ofalus! Fi yw Ysbryd y Llyn ac os ewch chi ymlaen fel hyn byddaf yn gwneud i'r dyfroedd i gyd orlifo a bydd dyffryn Afon Wysg a thref Aberhonddu yn ddwfn dan y dŵr."

Rhedodd ias ar hyd meingefn Catrin. "Rwy'n falch nad oeddwn i yno," meddai. "Dwi ddim yn credu y baswn i wedi hoffi Ysbryd y Llyn ryw lawer."

Taflodd Dafydd fraich gysurlon dros ysgwydd ei ferch. "Rwy'n credu mai gofalu am ei diriogaeth yr oedd e," eglurodd, "ond daeth ei rybudd mewn da bryd i osgoi trychineb. Byddai Aberhonddu a'r dyffryn i gyd wedi boddi petai'r dynion wedi parhau i gloddio."

"Felly beth ddigwyddodd wedyn?" gofynnodd Catrin.

"Dywedodd y dynion fod y cawr wedi suddo yn ôl i'r dŵr gan adrodd geiriau rhyfedd. Rhywbeth fel 'Cofiwch y gath, cofiwch y gath.'"

"Cofiwch y gath?" dywedodd Catrin, yn syn. "Pa gath?"

Aeth Dafydd yn ei flaen. "Roedd y dynion wedi drysu hefyd. Ond dywedodd un ohonyn nhw, Hywel oedd ei enw os ydw i'n cofio'n iawn, ei fod wedi boddi cath yn Llyn Cwm Llwch pan oedd yn hogyn ifanc. Hen wraig oedd yn berchen ar y gath ac roedd y creadur yn hen ac yn wael. Cath ddu oedd hi â seren wen ar ei thalcen. Roedd yr hen wreigan wedi clymu cloch fach aur ar gadwyn am ei gwddf. Roedd yn meddwl y byd o'r anifail anwes ond doedd hi ddim am ei gweld yn dioddef rhagor. Felly gofynnodd i Hywel fynd â'r gath a'i rhoi i gysgu. Ac fe wnaeth yntau hynny.

Y bore wedyn roedd yn pysgota yn Llyn Syfaddan. Er syndod iddo, gwelodd y gath roedd e wedi ei boddi yn Llyn Cwm Llwch yn arnofio ar ganol y llyn! Roedd wedi ei hadnabod oherwydd y seren ar ei thalcen, y gloch aur a'r gadwyn am ei gwddf ond ni fedrai yn ei fyw ddeall sut yr oedd wedi cyrraedd y lle hwnnw gan fod tua deng milltir rhwng y ddau lyn."

"Dywedodd Hywel ei fod yn tybio bod rhyw fath o lwybr tanddaearol rhwng y ddau lyn," meddai Dafydd. "Roedd e'n sicr petaen nhw'n parhau i gloddio'r ffos a cheisio gwagio'r llyn, y byddai'r dyfroedd yn gorlifo a thref Aberhonddu yn diflannu dan y dŵr. Nid hynny yn unig," meddai yn ddifrifol, "ond byddai'r dŵr o'r llyn llai yn llifo drwy'r rhodfa dan ddaear i mewn i'r llyn mwy yn Llyn Syfaddan. Byddai hynny yn drychineb achos byddai'r dŵr i gyd wedi cael ei ollwng dros ddyffryn Afon Wysg."

Oedodd Dafydd ac edrych ar ei ferch.

"Dyna lwcus bod y dynion wedi gwrando ar y Cawr a rhoi'r gorau i'r cloddio," meddai Catrin yn ddoeth.

"Ie wir," atebodd ei thad, "neu byddai Aberhonddu wedi boddi a go brin y byddem ni'n dau yma heddiw!"

Edrychodd Catrin yn feddylgar ar ei thad, a cheisio dychmygu ble bydden nhw petai'r dyfroedd wedi gorlifo. Aeth ysgryd drwyddi.

"Gawn ni fynd am adref nawr?" gofynnodd.

Roedd awyr y nos yn oer. Safodd Catrin a lapiodd Dafydd ei got fawr gynnes am ei ferch fach.

"Bant â ni," meddai gan droi ei gefn ar y llyn. "Dyna ddigon o storïau am un diwrnod."

Dechreuodd y ddau gerdded ar hyd y llwybr i'w pentref.

"Rwy'n hoffi dy storïau di, Dad," meddai Catrin. "Ydyn nhw'n wir?"

"Wn i ddim am hynny," atebodd ei thad. "Mae nifer o bobl wedi dweud storïau wrthyf fi. Mae rhywfaint o wirionedd ynddyn nhw, yn rhywle, ac mae llawer o bethau mewn bywyd na all unrhyw un eu hegluro."

Oedodd eto ac edrych ar ei ferch fach.

"Wnest ti fwynhau mynd am dro ar lan y llyn heno?"

"O, do," atebodd hithau. "Ac fe welon ni y ferch hardd yna yn penlinio ar wyneb Llyn Cwm Llwch, yndo?"

"Wel do siŵr iawn," atebodd ei thad.

Roeddynt wedi cyrraedd drws y tŷ.

"Wnei di ddim sôn wrth dy fam am y chwedlau hyn, na wnei?" gofynnodd Dafydd.

"Baswn i ddim yn breuddwydio gwneud hynny," chwarddodd Catrin. "Fyddai hi byth yn ein credu ni, na fyddai?"

Chwarddodd Dafydd hefyd a chofleidio ei ferch. "Go brin y byddai hi'n credu, ond rydyn ni'n gwybod yn well, ti a fi."

Aeth y ddau i'r tŷ a chau'r drws.

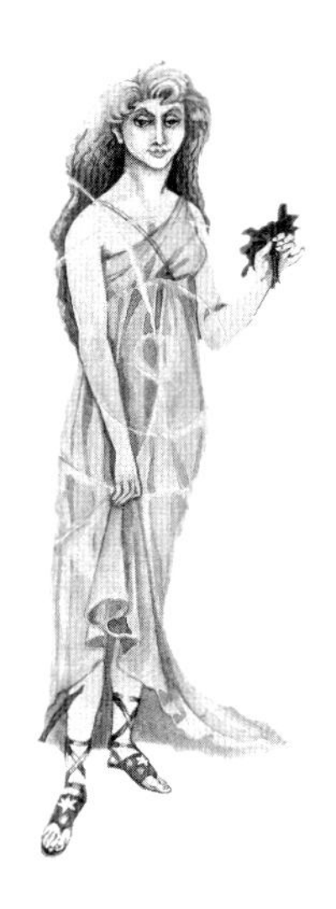

Llyn Syfaddan:
Lle ni Chlywir Cân Aderyn

MAE DYFROEDD Llyn Syfaddan yn cyffwrdd yn dyner y dolydd gwyrddion lle mae gwartheg yn pori'n dawel. Gorwedd olion pobl o'r oesoedd a fu, yn ffermwyr, yn ofaint, yn filwyr ffyrnig, dan y carneddi a'r crugiau ar ochrau'r bryniau geirwon. Roeddynt yn fodlon gyda bywyd o drin y pridd ffrwythlon a chreu gwaith cain mewn aur a phres, ond pan ddaeth goresgynwyr i fygwth eu cartrefi, fe gododd pawb fel un i amddiffyn eu tir yn eofn a ffyrnig.

Mae Cadair Arthur, gorsedd y Brenin Arthur nerthol, yn ysgubo am i lawr o frig Pen y Fan a Chorn Du. Yng ngwely'r llyn mae llys pendefigaidd Brycheiniog yn swatio, ei ysblander wedi ei reibio'n filain gan dywysoges Sasconaidd greulon. Mae cadwyn o fryniau a mynyddoedd yn amddiffyn y man dymunol hwn rhag eithafion yr elfennau, ond mae presenoldeb y cysgwyr yn y ddaear dawel i'w deimlo'n gryf ar wyneb y dyfroedd llyfn.

Adroddwyd llawer stori am Lyn Syfaddan. Dywedir bod bwystfil yn arfer stelcian yn y dŵr a'i fod wedi creu niwed mawr i'r llyn ac i'r trigolion lleol. Bu'n rhaid i'r bwystfil, a elwid yn afanc, gael ei dynnu oddi yno a'i gludo i fan uwch a llai hygyrch, o'r ffordd. Sonia eraill am dywysoges oedd mor ysgeler fel ei bod hi, a'i holl bobl, wedi cael eu difa dan lifogydd grymus. A dywedir bod modd gweld rhannau o doeon yr adeiladau hyn o dan y dŵr. Ei henw hi oedd y Dywysoges Syfaddan, enw mae'n ei rannu gyda'r llyn.

Mae rhai trigolion lleol yn honni hyd heddiw bod gan y llyn rymoedd hudol. Dywed rhai eu bod wedi gweld lliw y dŵr yn troi yn wyrdd llachar; dywed eraill ei fod yn troi yn ysgarlad, fel petai gwaed yn llifo ar hyd iddo. A bydd ambell un yn dweud eu bod wedi gweld y lle'n frith gan adeiladau neu diroedd ffrwythlon, ir, neu gyda gerddi a pherllannau. Ond dywed rhai pobl unrhyw beth!

Mae'r stori rydych chi ar fin ei darllen yn sôn am dywysog go-iawn a oedd yn byw tua naw cant o flynyddoedd yn ôl. Does neb yn berffaith siŵr pa flwyddyn y cafodd ei eni ond bu farw yn 1137. Gruffudd ap Rhys oedd y pendefig hwn, brawd y Dywysoges Nest, gŵr Gwenllian ddewr a thad yr Arglwydd Rhys.

Roedd yn byw yr un pryd â Harri'r Iaf ac ar adeg y stori hon roedd yn dychwelyd o lys y Brenin gyda Milo a Payn.

* * *

Amser maith yn ôl roedd tywysog o'r enw Gruffudd yn dychwelyd o lys y Brenin i'w gartref yng Nghaeo. Roedd dau ddyn yn gwmni iddo, Milo neu Miles Fitzwalter, Iarll Henffordd, Arglwydd Brycheiniog, Cwnstabl Lloegr, Siryf Caerloyw, a Payn Fitzjohn, Arglwydd Euas.

Canol gaeaf oedd hi, ac adar y dŵr o bob math yn nofio ar wyneb y llyn. Sylwodd Milo eu bod yn anarferol o dawel.

"Rwy'n deall eich bod yn perthyn i un o deuluoedd pendefigaidd Cymru," meddai Milo. "Wrth gwrs, mae pob Cymro yn honni ei fod yn perthyn i frenin neu i dywysog, ond gan fod cynifer ohonynt, mae'n anodd gwybod pwy i gredu."

Nid oedd Milo yn hoffi Gruffudd, er ei fod wedi brwydro yn hir ac yn ddewr yn erbyn ymosodiadau'r Normaniaid ac wedi bod yn ddraenen yn ystlys y Brenin Harri am flynydd-oedd lawer.

"Rydw i'n wir ddisgynnydd o linach tywys-ogion Cymru," atebodd Gruffudd. "Does gen i ddim awydd ffraeo gyda chi, ond efallai bod gen i fwy o hawl ar y tiroedd hyn na chi fonheddwyr."

Gwridodd Milo, am ei fod yn gwybod yn iawn bod Harri, yn groes i'r graen, wedi cynnig pendefigaeth Caeo i Gruffudd mewn ymgais i'w dawelu. Roedd Milo yn hoffi meddwl am ei deitlau eu hun: Iarll Henffordd, Arglwydd

Brycheiniog, Cwnstabl Lloegr, Siryf Caerloyw. Roedd tinc swynol i bob un, yn ei farn ef.

"Sylwch fod yr adar sydd wedi ymgasglu ar wyneb y llyn yn dawel," meddai Gruffudd. "Mae gennym ni yng Nghymru hen ddywediad," meddai â her yn ei lais. "Os bydd gwir Dywysog y wlad yn teithio heibio i Lyn Syfaddan ac yn gorchymyn i'r adar ganu, byddant yn ufuddhau ar unwaith."

Er nad oedd yn gyfoethog bellach, roedd Gruffudd yn ddyn urddasol a phendefigaidd. Gwyddai yn iawn am falchder y dyn arall.

"Gan mai chi yw Arglwydd a Meistr Brycheiniog, chi ddylai roi'r gorchymyn."

Roedd yn rhaid i Milo gytuno. Gan deimlo yn wirion iawn, anerchodd yr adar:

"Chwi greaduriaid dyfroedd Llyn Syfaddan, yr wyf fi, Miles Fitzwalter, Iarll Henffordd, Arglwydd Brycheiniog, Cwnstabl Lloegr, Siryf Caerloyw," oedodd am eiliad, "yn eich gorchymyn i ganu gerbron eich cyfiawn feistr."

Symudodd ambell aderyn; roedd rhai yn ystwytho eu hadenydd, eraill yn glanhau eu hunain; ond doedd yr un smic o sŵn i'w glywed.

Yn anghyffyrddus iawn, meddai Milo, "Rwy'n credu fy mod wedi profi bod y storïau Cymreig hyn yn ffantasi llwyr, yn addas ar gyfer clustiau plant yn unig."

"Efallai, cyn i ni benderfynu unrhyw beth," atebodd Gruffudd, "y dylai Payn Fitzjohn gael cyfle gan ei fod yntau hefyd yn berchen ar ran o'r tiroedd. Cafodd ei eni yn Euas ac yn awr mae'n arglwydd ar yr ardal honno. Efallai bydd yr adar yn canu iddo fe."

Roedd Payn Fitzjohn, ffrind i Milo, am wella ei ragolygon wrth fod yn gyfaill i ddyn oedd yn bwysicach nag ef ei hun. Ond gwyddai hefyd mai Cymro oedd ef, yn wahanol i Milo.

Safodd ar lan y llyn a cheisio gwneud iddo'i hun edrych yn dal (gan mai un digon byr oedd e).

"Gorchmynnaf i drigolion pluog y llyn, yr adar a ddylai fod yn ein llonni â'u caneuon persain, swyno eu gwir dywysog, Payn Fitzjohn, Arglwydd Euas, â cherddoriaeth y nefoedd."

Edrychodd yn fuddugoliaethus ar Gruffudd a Milo, gan ymfalchïo yn ei iaith farddonol.

Ond yn lle ymateb i'w lais, edrychai fel petai'r adar i gyd wedi mynd i gysgu.

"Hwyrach eu bod wedi eu blino â'ch mynegiant aruchel," meddai Gruffudd. "Does dim golwg eu bod am gynnig yr un nodyn i chi."

Y tro hwn, Gruffudd safodd ar lan y llyn a syllu ar yr adar yn eistedd yn dawel ar yr wyneb. Penliniodd gan weddïo, "O Dduw Dad, yr hwn sydd yn gwybod pob dim, os ydych wedi fy newis i fel gwir Dywysog Cymru, mynnaf fod yn eofn a gofyn i'r adar hyn dorri eu llw o dawelwch fel y bydd eu cân yn dangos harddwch eich creadigaeth!" Safodd Gruffudd a chodi ei ddwylo. Ar amrantiad trawodd yr adar eu hadenydd yn erbyn y dŵr a hedfan yn uchel, gan ganu mewn harmoni perffaith.

Roedd pawb ar lan y llyn wedi eu syfrdanu'n llwyr. "Heb os, mae hyn yn arwydd gan Dduw mai Gruffudd yw gwir Dywysog Cymru, yr un sydd berchen ar y tiroedd sydd wedi eu meddiannu gan Milo Fitzwalter a Payn Fitzjohn, ag awdurdod y Brenin Harri."

Yn syfrdan ac yn siomedig, dychwelodd Milo a Payn Fitzjohn ar frys i'r llys ac adrodd wrth y Brenin yr hyn oedd wedi digwydd wrth Lyn Syfaddan.

Wedi ystyried am beth amser, atebodd Harri â llw:

"Nid yw hyn yn syndod i fi. Rydym wedi hawlio, trwy drais a chamwedd, mai gennym ni mae'r awdurdod i reoli'r wlad, ond mae'r bobl yn gwybod mai Gruffudd a'i berthnasau yw gwir etifeddion tiroedd Cymru."

Er iddo ddweud hyn yn breifat wrth Milo a Payn Fitzjohn, nid aeth yr hanes hwn ar led ac ni chafodd digwyddiadau rhyfeddol Llyn Syfaddan unrhyw effaith ar ei ddull o reoli am flynyddoedd lawer.

Pwll Cynffig: Melltith y Pantannas

FLYNYDDOEDD LAWER yn ôl, doedd y darn dŵr sydd erbyn hyn yn cael ei adnabod fel Pwll Cynffig, ddim yn bod. Yn ei le roedd tir ffrwythlon a phobl yn chwilio am fan addas i ymgartrefu ynddo. Roedd y gymuned fechan hon yn hapus am gannoedd o flynyddoedd ac, ar adeg y stori hon, roeddynt yn byw yn ôl rheolau cymdeithas heddychlon a threfnus. Cigyddion a phobyddion oedd rhai ohonynt; byddai rhai yn gofalu am geffylau ac eraill, gwleidyddion eu cyfnod, yn henaduriaid a bwrdeiswyr. Roedd y rhan fwyaf o bobl yn berchen ar dyddyn bychan lle byddent yn cadw moch ac ieir a, weithiau, buwch neu ddwy. Bywyd syml iawn oedd hwn; bywyd o waith caled gydol yr wythnos a mynd i'r eglwys ar y Sul. Fel y rhan fwyaf o bobl, roedd rhai yn dda a rhai yn ddrwg ond roedd yr henaduriad, y bwrdeiswyr a diaconiaid yr eglwys yn cadw'r heddwch â'u cyfreithiau llym.

Gilbert de Clare, Iarll Caerloyw a Henffordd oedd yn berchen ar dir Cynffig. Ei ferch, Gunnilda, oedd cannwyll ei lygad. Roedd hi'n hardd ac wedi ei difetha'n llwyr a thyfodd i fod yn fenyw hunanol a barus. Ei drygioni hi oedd sail y drasiedi fwyaf a ddaeth i ran Cynffig. Dyma'r hanes fel y bu i'w mileindra ddistrywio'r dre a boddi'r tir. Dyma stori creu Pwll Cynffig.

* * *

Roedd llawer o ddynion wedi syrthio mewn cariad gyda Gunnilda ac, ar adeg y stori hon, sylweddolodd hi ei bod yn hen bryd iddi chwilio am ŵr. Roedd un yn arbennig wedi tynnu ei sylw; llanc golygus oedd hwn ac un oedd yn ei haddoli ond, yn anffodus, roedd yn ddyn tlawd tra oedd Gunnilda yn chwilio am ddyn cyfoethog iawn.

"Mi faswn yn dy briodi di," meddai hi, "ond does dim arian gen ti a rhaid i fi gael gŵr cyfoethog. Fedra i ddim byw heb bethau da o bob math o'm hamgylch, felly os na fedri di ddod â chyflenwad digonol o aur er mwyn fy modloni, bydd yn rhaid i fi chwilio am ŵr arall. Does dim ots gen i sut wyt ti am wneud hyn. Nid yw rheolau a chyfreithiau yn golygu dim i fi oni bai eu bod yn fy helpu i fyw y bywyd rydw i ei eisiau." Felly er ei bod mor hardd, roedd hi'n ferch hunanol a chreulon iawn.

Roedd Madog, ei chariad, wedi colli ei ben a'i galon yn llwyr iddi ac ni fedrai ddioddef y syniad o weld neb arall yn ei phriodi. Felly penderfynodd fynd ati i gasglu digon o aur i fodloni Gunnilda, mewn unrhyw ddull a modd.

Un o henaduriaid y pentref oedd Gruffudd. Roedd yn gyfoethog, ond yn ddoeth. Yn gerddor sgilgar ac yn fardd, byddai pobl yn tyrru i neuadd y pentref i wrando ar ei storïau ar nosweithiau oer yn y gaeaf. Gwyddai Madog yn dda am Gruffudd a gweithiodd ar gynllun i ddwyn aur yr hen ddyn.

Noson dywyll ym mis Rhagfyr oedd hi. Roedd Gruffudd wedi bod yn adrodd ei storïau i bobl y pentref yn y neuadd, a daeth yr adloniant i ben gyda phawb yn cydganu caneuon ac yn adrodd hen chwedlau cyn ei throi hi am adref drwy'r gwyntoedd main. Safai cartref Gruffudd ar gwr y pentref ac roedd llwybr unig gyda llwyni ar y naill ochr a'r llall yn arwain at ei dŷ. Doedd fawr ddim dail ar y llwyni ac roedd cangau'r coed fel sgerbydau noeth yn awel oer y nos.

Wrth i Gruffudd frysio am adref, meddyliodd ei fod yn clywed sŵn y tu ôl iddo a throdd i edrych. Gallai fod wedi tyngu iddo glywed sŵn traed yn ei ddilyn a rhedodd ias ar hyd ei feingefn. Cyflymodd ei gamau. Cododd ffigwr o'r tywyllwch a theimlodd Gruffudd gernod drom ar ei ben. Disgynnodd ei gorff yn domen ar y llawr. Gorweddodd yn llonydd. Roedd wedi marw. Symudodd Madog yn nes at y corff a phlygu i'w archwilio. Unwaith yr oedd yn siŵr ei fod wedi lladd yr hen ddyn, rhuthrodd at dŷ Gruffudd. Â'i holl nerth, gwthiodd yn erbyn y drws ac aeth i mewn.

Roedd Madog yn gyfarwydd â chartref Gruffudd gan ei fod wedi derbyn gwahoddiad yn aml i alw mewn, gyda chymdogion eraill, i hel atgofion am yr hen amser. Felly fe wyddai lle roedd Gruffudd yn cadw ei aur. Aeth Madog i'r ystafell fach lle byddai Gruffudd yn cyfarfod ei ffrindiau o'r gymuned. Roedd cist bren mewn un cornel. Torrodd Madog y clesbyn a chodi'r clawr. Gwthiodd ei law i grombil y gist a thynnu sach fawr allan; sach oedd yn llawn aur. Taflodd hi dros ei ysgwydd a throdd am y drws. Wrth iddo wneud hynny, clywodd ochenaid ddofn oedd fel petai'n dod o'r ystafell. Oedodd Madog a syllu i'r tywyllwch ond roedd yr ystafell yn wag. Trodd am y drws ac am yr ail dro fe glywodd ochenaid ddofn. Y tro hwn, rhuthrodd allan o'r tŷ. Ond wrth iddo frasgamu i lawr y lôn am ei gartref ei hun, â'r sach dros ei ysgwydd, cynyddodd sŵn yr ochneidio ac yna clywodd lais annaearol y tu ôl iddo. Ni fedrai glywed y geiriau ar y dechrau ond wrth i'r llais gryfhau, gallai glywed y geiriau yn glir.

"Daw dial. Daw dial." Nid edrychodd Madog yn ôl. Rhedodd am ei gartref lle taflodd y bollt dros y drws. Gan anadlu'n ddwfn, taflodd y sach llawn aur i gornel y llofft a dringodd i'w wely. Tynnodd y dillad dros ei glustiau ac roedd yn crynu gan ofn. Yn raddol, aeth cwsg yn drech nag ef a phan ddeffrodd roedd pelydrau gwan haul y gaeaf yn disgleirio drwy ffenestr ei ystafell wely.

Roedd popeth yn edrych yn well i Madog yng ngolau glân y bore. Meddyliodd am y ddynes hardd, Gunnilda, a'r olwg fyddai ar ei hwyneb prydferth pan welai ei gyfoeth newydd. Gwthiodd o'r neilltu bob atgof am y llofruddiaeth erchyll a'r lleisiau bygythiol wrth ganolbwyntio ar y bywyd gwahanol oedd o'i flaen.

Wrth gwrs, yn awr roedd Gunnilda yn fwy na pharod i briodi Madog. Dywedodd ef wrthi sut cafodd e'r aur ond nid oedd yn gwneud gwahaniaeth iddi hi. Roedd hi yn hapus ei bod yn priodi llanc golygus oedd yn berchen ar ddigonedd o aur. Doedd ei ddull o gael ei ddwylo arno ddim yn ei phoeni o gwbwl.

Roedd y pentrefwyr wedi eu llorio pan ddaethant ar draws corff Gruffudd yn gorwedd ar y ffordd yn y bore. Cafodd angladd parchus a bu cryn alaru ar ei ôl; ond nid oedd sôn am y llofrudd.

Gwahoddodd Madog a Gunnilda lu o westeion i'w priodas. Roedd yn achlysur ysblennydd ac aeth y dathlu ymlaen am dri diwrnod a thair noson. Estynnodd Gunnilda groeso i'r holl bobl bwysig yn yr ardal ond ychydig iawn o bobl leol oedd yno i rannu'r llawenydd. Wedi'r cyfan, go brin y medrent fforddio cynnig anrhegion gwerthfawr iddi.

Nid oedd y pentrefwyr am gael eu gwahodd. Yn eu barn nhw roedd y wraig yn rhy ffroenuchel a balch ac roedd wedi bod yn greulon iddyn nhw mewn llawer ffordd.

Fisoedd yn ddiweddarach sylwodd Gunnilda fod ei morynion yn sibrwd ymhlith ei gilydd ond yn tawelu wrth iddi hi agosáu.

"Beth oeddech chi yn ei drafod nad ydych chi am i fi ei glywed?" arthiodd arnynt.

"Rydym wedi clywed sibrydion," atebodd un oedd yn ddewrach na'r lleill, "bod bedd Gruffudd yn aflonydd ac na fydd ei ysbryd yn gorffwys tra bod ei lofrudd â'i draed yn rhydd."

Roedd Gunnilda wedi ei siglo gan y geiriau hyn ac aeth at Madog i rannu'r stori a glywsai.

"Rhaid i ti fynd at fedd Gruffudd a cheisio tawelu'r ysbryd," meddai hi.

Yn anfoddog, gwnaeth Madog fel y gofynnodd ei wraig iddo'i wneud. Roedd gormod o ofn arno i anufuddhau gan ei bod hi mor benderfynol, felly un noson dywyll aeth at lan bedd Gruffudd.

Roedd corff yr hen ŵr yn gorwedd yn y fynwent dawel. Safai coed yw fel milwyr yn amddiffyn eneidiau'r meirwon wrth iddynt orffwys yn y pridd. Ar y noson y dewisodd Madog fentro at orffwysfa y dyn yr oedd wedi ei ladd, roedd yr awyr yn dywyll a'r gwynt yn cwyno yn y coed. Cropiodd Madog mor agos ag a feiddiai at ymyl y bedd. Aeth cryndod drwyddo. Gwyddai y dylai wneud ei orau i dawelu'r ysbryd roedd y morynion yn siarad amdano; yr ysbryd yr oedd Gunnilda am iddo ei dawelu. Ond nid oedd yn teimlo yn ddewr nac yn hyderus. Ef oedd y llofrudd ac roedd Gruffudd, y dioddefydd, bellach yn ysbryd, y tu hwnt i'w rym.

Safodd Madog yn llonydd a gwrando. Edrychodd ar ddüwch yr awyr drwy gangau'r coed. Gwelodd gilgant o leuad yn symud yn araf drwy'r awyr. Doedd yr un sŵn i'w glywed ar wahân i siffrwd ysgafn yr awel rhwng y coed. Ac yna clywodd sibrwd rhyfedd. Roedd yn swnio fel sgraffinio a chrafu a meddyliodd am ennyd mai un o greadur-iaid y nos oedd yno yn chwilota am fwyd yn y borfa hir, gorsog ger y bedd. Cynyddodd sŵn y siffrwd ac yna'n sydyn fe glywodd lais annaearol, tebyg i'r un a glywsai ar y noson y lladdodd Gruffudd.

"Oni ddaeth yr awr i achub cam y truan diniwed?"

Gan grynu yn ei esgidiau, edrychodd Madog o gwmpas am y person oedd wedi siarad. Ond doedd dim i'w weld ar wahân i'r coed, yr awyr, y lleuad a'r sêr. Edrychodd ar fedd Gruffudd. Cododd ambell ddeilen cyn disgyn yn ôl i'r pridd.

"Daw dial," meddai ail lais. "Rhaid talu'r pwyth am y camwedd a wnaed i'r enaid diniwed. Hyd y nawfed ach, ni fydd dedwyddwch i'r rhai a wnaeth ddrygioni ac fe ddaw dydd y rhai a ddioddefodd."

Distawodd y lleisiau. Agorodd Madog ei lygaid. Roedd wedi eu cau mewn ofn wrth iddo wrando ar y geiriau iasol. Edrychodd o'i gwmpas eto. Roedd ei gorff yn crynu; teimlai'n benysgafn, ond yn y lle sanctaidd hwn nid oedd yr un dim yn symud.

Sythodd Madog a cheisio troi am adref ond ni fedrai symud ei draed. Roeddynt fel petaent ynghlwm yn y ddaear. Cododd ei lygaid a gweld y lleuad yn ymddangos o'r tu ôl i'r coed.

"Mae popeth fel y dylai fod," meddyliodd, "y lleuad yn yr awyr, y coed yw heb symud ac mae'r eglwys yn dal i sefyll." Edrychodd i lawr ar ei gorff ei hun. "Rydw i'n dal yn un darn." Sgwariodd ei ysgwyddau. "Rhaid i mi fod yn gadarn. Fe af adref at fy ngwraig annwyl a dweud wrthi yn union beth sydd wedi digwydd. Bydd hi'n gwybod beth i'w wneud." Ysgydwodd ei hun a dechrau cerdded i gyfeiriad ei gartref. Ond wrth iddo glywed y gwynt yn siffrwd rhwng y coed, prysurodd allan o'r fynwent.

Deffrodd Madog ei wraig yn oriau mân y bore a rhannu ei anturiaethau gyda hi. Soniodd wrthi am y lleisiau.

"Clywais un llais yn sibrwd, 'Oni ddaeth yr awr i achub cam y truan diniwed a fu farw?'" meddai. Ac yna daeth llais arall gan ateb 'Hyd y nawfed ach, ni fydd dedwyddwch i'r rhai a wnaeth ddrygioni ac fe ddaw dydd y rhai a ddioddefodd.'"

Crynodd Madog wrth gofio, ond edrychodd Gunnilda arno mewn syndod.

"Dydw i ddim yn deall y geiriau rhyfedd mewn iaith ddieithr. Beth oedden nhw?"

Atebodd Madog, "Hyd y nawfed ach. Geiriau Cymraeg yw'r rhain. Geiriau hynafol y Pantannas ydyn nhw. Rwy'n ofni mai melltith y Pantannas yw hyn." Crynodd eto.

"Eglura, da ti, beth yw ystyr hyn i gyd," erfyniodd ei wraig yn ddiamynedd. Nid oedd Gunnilda yn gyfarwydd â'r iaith Gymraeg na hen ffyrdd y Cymry.

Atebodd Madog mewn llais isel. "Pobl hynafol, sydd wedi marw ers blynyddoedd lawer, yw'r Pantannas ond mae eu hysbryd yn dal i grwydro'r ddaear. Maent yn aflonyddu os ydyn nhw'n credu bod rhywun wedi sathru ar eu ffordd hwy o fyw ac yn mynnu dial ar y rhai sydd wedi gwneud hynny. Gŵr doeth oedd Gruffudd ac fe gadwodd yr hen chwedlau yn fyw trwy ei gerddoriaeth a'i storïau. Fyddai'r Pantannas ddim yn hapus gyda'r ffordd y bu farw."

Gofynnodd Gunnilda eto, "Ond beth yw ystyr yr hen eiriau?"

"Hyd y nawfed ach? Mae'n golygu bod y Pantannas yn bwriadu dial arnom ni, a wnaeth y drygioni, yn y nawfed genhedlaeth."

"A yw hynny yn golygu bod y peth ofnadwy hyn, beth bynnag yw e, am ddigwydd yn nawfed genhedlaeth ein disgynyddion ni?" holodd hi.

"Mae'n debyg ei fod," meddai Madog. Oedodd. "Does gen i ddim ffydd yn iaith y tylwyth teg. Dydyn nhw byth yn dweud yn union beth maen nhw'n ei feddwl."

"Dydw i ddim mor wirion," atebodd Gunnilda yn ysgafn. "Fe fyddwn ni wedi hen farw ac wedi pydru, mi gredaf, os yw'r ffawd hyn yn mynd i effeithio ar ein disgynyddion yn y nawfed genhedlaeth. Hynny yw, os digwydd hyn o gwbl. Efallai nad yw'n ddim byd ond dy ddychymyg byw di."

Roedd golwg ofidus a phoenus ar wyneb Madog o hyd. Roedd e'n cofio'r lleisiau a glywodd wedi iddo ladd Gruffudd, a'i ymweliad â'r fynwent. Nid oedd ef mor siŵr â'i wraig mai dychymyg oedd y cyfan. Ond yr oedd hi yn gryfach nag ef.

"Does gyda ni ddim i ofidio amdano," meddai hi'n llon. Goleuodd ei hwyneb.

"Dere, fy nghariad dewr," dywedodd. "Beth am anghofio am y lleisiau a'r ysbrydion ac am gorff

Gruffudd yn gorwedd yn ei fedd oer. Mae digon o aur gennym ni i'w wario fel y mynnom. Dylem fwynhau ein hunain a byw am heddiw yn unig. Os oes dial i fod, fydd e ddim yn digwydd tra byddom ni byw!"

Ac felly dewisodd y ddau anwybyddu'r lleisiau a geiriau rhyfedd y Pantannas. Roedd y foneddiges a'i chariad yn teimlo yn ddiogel gyda'u bywydau penrhydd, trwstfawr. Nid oedden nhw'n dal yn ôl ar unrhyw beth. Byddent yn bachu popeth yr oeddynt am ei gael, heb feddwl am y dioddefaint y byddai hynny yn ei achosi i eraill. Cafodd y ddau lawer o blant ac wyrion a gor-wyrion oedd llawn mor ysgeler â Madog a Gunnilda. Wnaethon nhw ddim hyd yn oed ystyried pobl y dref a ddaeth i fod yn dlawd a thruenus. Un ar ôl y llall, gadawodd y rhain ardal Cynffig gan adael perthnasau a disgynyddion Madog a Gunnilda yn unig.

Ac felly bu'r ddau fyw am flynyddoedd lawer gyda'u plant a phlant eu plant, bob un ohonynt yn hunanol, gan feddwl yn unig am ffyrdd o wneud arian i foddhau eu chwantau, waeth sut y deuai'r arian hynny i'w rhan, boed trwy lofruddiaeth neu ladrad.

Un diwrnod, penderfynodd y pâr gynnal gwledd ysblennydd yn eu castell, i ddathlu eu priodas, eu cyfoeth a'u llwyddiant. Gwahoddodd Gunnilda a Madog bob aelod o'u teulu i'r wledd, pob un plentyn a'u hepil hwy, eu cefndryd, cyfnitherod, modrybedd ac ewythrod, pawb oedd yn perthyn i'r Arglwyddes Gunnilda a'i gŵr Madog.

Roedd Gunnilda wedi clywed am ddyn oedd yn byw mewn pentref unig nid nepell o Gynffig. Roedd hwn yn enwog am ei allu i wau storïau a chanu'r delyn. Rhoddodd wahoddiad iddo ddod i'r wledd i gynnig adloniant i'w gwesteion. Yn ddigon rhyfedd, derbyniodd yntau y gwahoddiad; roedd y rhan fwyaf o bobl oedd yn byw y tu allan i dref Cynffig yn gyndyn iawn i dreulio amser yn y lle hwnnw.

Pan oedd y parti wedi cyrraedd ei anterth, a phawb yn gloddesta ar y bwyd ac yn mwynhau'r holl adloniant, dyma lais i'w glywed y tu allan i'r castell. Ymgasglodd y gwesteion wrth y ffenestr a syllu allan. Gwelsant delynor yn sefyll ar furiau'r gaer, yn dal ffagl danllyd yn ei law.

"Gruffudd y goresgynnydd ydw i, disgynnydd y dyn a lofruddiwyd gan Madog, o fewn y nawfed ach," taranodd. "Daeth dial, i'r nawfed ach!" A gyda'r geiriau hyn, hyrddiodd y ffagl i mewn i'r castell. Gafaelodd y fflamau yn y llenni a'r coed ar amrantiad a chyn pen dim roedd y castell yn wenfflam. Rhuthrodd dyfroedd i lawr o'r ffos gan lifo dros dref Cynffig nes i'r tir gael ei orchuddio yn llwyr gan ddŵr a dim ar ôl i'w weld ond y llyn sydd yno hyd heddiw.

Llamodd Gruffudd i fan diogel a rhedeg tuag at y dŵr. Wrth iddo edrych ar draws y llyn gwelodd wrthrychau bach, tywyll, diferol yn arnofio tuag

ato. Plygodd i'w codi. Wrth eu troi drosodd yn ei ddwylo, gwelodd mai dwy faneg ddu oedden nhw.

Gwenodd wrth weld bod yr enw Gruffudd wedi ei ysgrifennu ar y menig. "Gruffudd," meddai wrtho ei hun, "y gŵr gyda'r un enw â fi a lofruddiwyd flynyddoedd maith yn ôl gan Madog er mwyn plesio dymuniadau erchyll Gunnilda. Felly mae geiriau y Pantannas wedi eu gwireddu. Fi yw'r ŵyr, yr un a aned o fewn y nawfed ach. A bellach, Gruffudd fy nghyndad, fe all dy ysbryd di orffwys mewn heddwch."

Gorweddai'r castell yn furddun distaw. Symudodd dyfroedd Pwll Cynffig yn ddiog yng ngolau'r lleuad. Trodd y telynor a cherdded o olwg y castell a chwalwyd a hen dref Cynffig a orweddai dan y dŵr ac aeth adref yn araf tua Margam a'r Abaty.

Llyn Llech Owain: Marchog Mwyaf Arthur

ROEDD ARTHUR yn ei gastell yng Nghaerllion ar Wysg, yn dathlu'r Sulgwyn. Eisteddai yng nghanol y siambr fawr ar sedd o frwyn lle gorffwysai cwrlid o sidan coch gyda chlustog o sidan coch dan ei benelin. Gydag ef roedd Owain ab Urien, Cynon ap Clydno a Cai ap Cyner ynghyd â llawer o farchogion eraill. Eisteddai Gwenhwyfar, gwraig Arthur, ger y ffenestr yn pwytho ac yn sgwrsio gyda'i gwesteion. Teimlai Arthur yn hapus iawn. Roedd Owain wedi dychwelyd i Gaerllion wedi absenoldeb o dair blynedd hir, ac roedd Arthur wedi gweld ei eisiau yn fawr.

"Wel, Owain," meddai Arthur. "Rwy'n falch o dy gael gyda fi unwaith yn rhagor ond ychydig iawn rydw i a gweddill y cwmni hwn yn gwybod am dy anturiaethau tra buost ti i ffwrdd. Rwy'n siŵr fod gen ti lawer iawn i'w ddweud wrthym ni ac rydyn ni yn fwy na pharod i wrando."

Gwenodd Owain.

"Rydw innau hefyd yn falch o fod yma i fwynhau eich cwmni chi a'm holl gyfeillion. Efallai eich bod yn cofio achlysur arall cyn i mi fynd i ffwrdd pan eisteddodd pawb yn yr un lle yn gwrando ar Cynon yn disgrifio anturiaeth roedd ef wedi ei phrofi. Cefais fy effeithio'n fawr gan ei stori ac addo i mi fy hun y byddwn yn mynd i weld yr un lleoedd a'r un bobl ryfedd â Cynon.

Felly i ffwrdd â fi a theithio ar hyd a lled fy ngwlad fy hun a thiroedd pellennig nes i mi, un diwrnod, ddod ar draws y dyffryn hyfrytaf i mi ei weld yn y byd i gyd, lle roedd pob coeden yn ei phrydferthwch perffeithiaf. Rhedai afon drwy'r dyffryn a llwybr ar hyd yr afon. Dilynais y llwybr tan ganol dydd a pharhau ar fy nhaith drwy'r dyffryn tan iddi nosi, pan ddeuthum at ddarn mawr iawn o dir gwastad. Yno gwelais gastell mawr yn disgleirio a nant yn byrlymu wrth ei droed.

Wrth imi nesáu at y castell, gwelais ddyn hardd yr olwg nid nepell i ffwrdd, wedi ei wisgo mewn dillad o sidan aur ac esgidiau wedi eu cau â byclau aur.

'Dydd da i chi syr,' meddwn i wrth gerdded tuag ato.

'A dydd da i chwithau, Farchog,' atebodd yntau yn gwrtais.

'Fel y gwelwch,' es yn fy mlaen, 'dieithryn ydwyf fi yn y parthau hyn. Rwyf wedi teithio ffordd bell iawn ac rwyf yn llwglyd ac yn sychedig.' Cyffyrddais yn fy ngên. 'Mae angen eillio ac ymolchi arnaf fi hefyd.'

'Rydym yn croesawu dieithriaid,' atebodd. 'Dewch gyda mi a chawn weld beth medraf ei wneud i'ch cynorthwyo.'

Yna arweiniodd e fi at y castell. Safai porthor wrth y glwyd ac fe gafodd y ddau ohonom fynd drwyddi. Pan gerddon ni mewn i'r neuadd fawr, gwelais bedair ar hugain o forynion yn eistedd ger ffenestr yn brodio ar sidan main. Welais i erioed ferch mor hardd â'r rhai hyn ar wahân, wrth gwrs, i'r Arglwyddes Gwenhwyfar, yr harddaf o fenywod." Cododd Gwenhwyfar ei golygon o'i sedd ger y ffenestr a phlygu ei phen tuag at Owain gyda gwên radlon.

Aeth Owain yn ei flaen.

"Gofalodd y morynion am fy ngheffylau a'm gwahodd innau i ymolchi a gwisgo dillad glân. Wedyn dyma nhw yn fy arwain at fwrdd lle roedden nhw wedi paratoi pryd blasus y tu hwnt. Eisteddais wrth y bwrdd gyda'm gwesteiwr a bwyta fy ngwala a'm gweddill gan fy mod yn llwglyd iawn ac roedd y bwyd a'r gwin gyda'r goreuon. Tra ein bod yn bwyta gofynnodd y dyn am fy enw.

Atebais, 'Owain ab Urien yw fy enw.'

'Rwy'n falch o'ch cael yma Owain,' atebodd. 'Ond dywedwch beth ddaeth â chi i'r castell hwn?'

'Marchog ydw i o Lys y Brenin Arthur. Rwyf yn chwilio am anturiaeth ac i herio fy hun yn erbyn rhywun sydd yn deilwng, i weld a allaf fod yn feistr arno.'

Edrychodd y dyn arnaf gan wenu.

'Clywais lawer am farchogion y Brenin Arthur, eu dewrder a'u henw da ac rwy'n credu y gallaf eich cyfeirio at her gyda gwrthwynebydd teilwng. Cewch gysgu yma heno ac, yn y bore, codwch yn gynnar ac ewch ar hyd y ffordd sydd yn arwain am i fyny drwy'r dyffryn nes ichi gyrraedd coedwig. Cyn hir fe ddowch chi at ffordd sydd yn troi i'r dde; dilynwch y ffordd hon nes ichi gyrraedd coedlan gysgodol â thwmpath mawr yn y canol. Bydd cawr yn sefyll ar ben y twmpath hwn. Un droed yn unig sydd ganddo ac un llygad yng nghanol ei dalcen. Bydd yn gafael mewn pastwn haearn arswydus. Nid yw yn greadur hardd i edrych arno ac ef yw Ceidwad y goedwig honno. Fe welwch fil o anifeiliaid gwyllt yn pori o'i gwmpas. Gofynnwch iddo am y ffordd allan o'r goedlan. Peidiwch â chael eich siomi gan ei ymateb anghwrtais, oherwydd fe fydd yn dangos i chi y ffordd rydych yn chwilio amdani.'

Er i mi fynd i'm gwely, nid oedd yn hawdd cael gafael ar gwsg a bûm yn troi ac yn trosi gydol y nos, gan feddwl am yr hyn oedd wedi digwydd i mi ac yn dyfalu beth fyddai yn fy wynebu drannoeth. Y bore wedyn, codais ac ymwisgo, gan baratoi fy hun am yr anturiaeth oedd wedi ei haddo i mi. Neidiais ar gefn fy ngheffyl a dechrau ar fy nhaith gan ddilyn y cyfarwyddiadau a roddwyd i mi y noson cynt. Teithiais drwy'r dyffryn i'r goedwig a dilyn y llwybr nes cyrraedd y goedlan.

Roeddwn wedi fy syfrdanu gan y nifer o anifeiliaid gwyllt oedd yn pori o amgylch y twmpath yng nghanol y goedlan. Yna cefais gip ar y cawr yn sefyll ar frig y twmpath, fel y dywedodd fy nghyfaill y byddai'n gwneud. Roedd yn greadur anferthol a'i bastwn haearn yn wirioneddol arswydus. Rwyf bron yn siŵr na fyddai pedwar dyn cyffredin wedi llwyddo i'w godi.

Edrychodd yn graff arnaf â'i unig lygad ond siaradais yn eofn gydag ef.

'Fedrwch chi ddweud wrthyf lle mae'r llwybr sy'n arwain allan o'r goedlan hon?'

Atebodd yn swrth. 'Ewch ar hyd y ffordd honno,' meddai, gan bwyntio â'i bastwn haearn enfawr.

Oedais, wedi fy llethu gan gywreinrwydd, a phwyntio at yr holl anifeiliaid gwyllt oedd yn pori o'i amgylch.

'Faint o reolaeth sydd gennych chi dros y creaduriaid hyn i gyd?' gofynnais.

'Cewch weld yn awr, ddyn bach,' atebodd yntau yn sarhaus.

Gafaelodd yn ei bastwn a tharo carw ag ef nes i hwnnw frefu'n daer. Wrth glywed sŵn y carw, daeth yr holl anifeiliaid ynghyd ac roeddynt mor niferus â'r sêr yn y nen. Go brin bod lle i fi yn y goedlan. Ac ymhlith yr holl fathau gwahanol o anifeiliaid gwelais seirff a dreigiau. Rhythodd y cawr arnynt â'i un llygad a'u gorchymyn i bori eto. Ufuddhaodd pob un ohonynt gan blygu eu pennau yn ostyngedig, fel gwas yn ymateb i'w arglwydd.

Edrychodd y cawr arnaf yn fuddugoliaethus. 'Dyna ddangos i chi pa awdurdod sydd gen i dros yr anifeiliaid hyn,' meddai yn rhwysgfawr.

'Gwelaf yn wir,' atebais innau'n foesgar, 'ac rwy'n siŵr y byddai dyn â'r fath rym yn ei chael yn hawdd i roi'r cymorth sydd ei angen arnaf fi i gael hyd i'r ffordd allan o'r goedlan hon.'

'Ewch ar hyd y llwybr sydd yn arwain i ben y goedlan,' atebodd, ei agwedd wedi ei feddalu gan y tinc cwrtais yn fy llais, 'a dringwch y llethr coediog nes ichi gyrraedd y brig. Yno fe ddewch ar draws lle agored fel dyffryn mawr ac yn ei ganol fe welwch goeden dal sydd â'i changhennau yn wyrddach na'r binwydden fwyaf gwyrdd a fu erioed. O dan y goeden hon mae ffynnon. Wrth ochr y ffynnon mae talp o farmor ac ar y talp o farmor mae powlen arian wedi ei chlymu â chadwyn arian fel na ellir ei dwyn.'

Oedodd y dyn mawr.

'Gafaelwch yn y bowlen a thaflwch lond y bowlen o ddŵr ar y talp marmor. Byddwch yn clywed taran mor uchel fel y byddwch yn meddwl bod y nefoedd a'r ddaear yn crynu mewn dicter. Gyda'r daran fe ddaw cawod drom o gesair, mor drwm fel y byddwch yn meddwl na fedrwch ei dioddef. Wedi i'r gawod fynd heibio, bydd y tywydd yn gwella, ond bydd pob deilen oedd ar y goeden wedi eu cludo ymaith gan y gawod. Yna fe ddaw hediad o adar a disgyn ar y goeden gan ganu yn fwy persain nag unrhyw gân a glywsoch chi erioed mewn unrhyw le yn eich gwlad eich hun. Wrth i gân yr adar eich hudo fe glywch chi sŵn murmur a chwynfan yn dod tuag atoch chi ar hyd y dyffryn.'

Roedd y cawr fel petai yn lled chwerthin wrth iddo fynd yn ei flaen.

'Fe welwch farchog mewn melfed du ar geffyl cyn ddued â'r frân a chyda phenwn o liain du ar ei waywffon. Bydd yn marchogaeth atoch chi mor gyflym â'r gwynt er mwyn eich herio. Os byddwch chi yn ceisio ffoi oddi wrtho bydd yn eich goddiweddyd ac os arhoswch bydd yn siŵr o'ch tynnu o'ch cyfrwy a'ch taflu oddi ar eich ceffyl. Os na fydd digon o her i chi yn yr anturiaeth hon, chewch chi ddim byd tebyg am weddill eich oes.'

Roeddwn yn syfrdan. Disgwyliais i'r cawr fynd yn ei flaen ond roedd y dyn anferth wedi distewi fel petai wedi colli pob diddordeb yn fy mhresenoldeb. Felly fe'i gadewais yn sefyll yno ar ben y twmpath gyda'i deyrnas o anifeiliaid gwylltion o'i amgylch ac ymlaen â fi ar fy nhaith nes cyrraedd brig y goedlan a gweld bod popeth yno fel yr oedd y cawr wedi ei ddisgrifio. Es at y goeden a gweld y ffynnon oddi tani. Yn ymyl roedd talp o farmor a phowlen arian ar y llawr ynghlwm wrth gadwyn arian. Gafaelais yn y bowlen a thaflu dŵr dros y talp o farmor. Gyda hynny clywais daran fwy grymus hyd yn oed na'r un yr oedd y cawr wedi sôn amdani. Wedi'r daran daeth cawod o gesair a choeliwch hyn, fy ffrind-iau, prin y medrwn ddioddef ei nerth. Roedd fel petai pob darn o gesair yn trywanu fy nghroen a'm cnawd nes cyrraedd yr asgwrn.

Trois goesau fy ngheffyl tua'r gawod ac amddiffyn ei ben a'i wddf â'm tarian tra'n dal y rhan uchaf dros fy mhen fy hun. Dyna'r unig ffordd y medrwn wrthsefyll nerth y gawod. Yna cliriodd yr awyr a phan edrychais ar y goeden doedd yna'r un ddeilen ar ôl arni. Glaniodd hediad o adar ar y goeden a chanu. Ni chlywais erioed y fath nodau melys. Ac wrth i fi wrando ar y seiniau hudolus hyn, clywais sŵn murmur a chwynfan yn dod tuag ataf ar hyd y dyffryn a llais yn crio'n uchel.

'Beth ddaeth â chi i'r lle hwn, Farchog? Pa ddrwg wnaeth fy mhobl i chi fel eich bod yn trin ein gwlad yn y ffordd hon? Wyddech chi beth roeddech chi yn ei wneud? Pan afaeloch chi yn y bowlen arian a thaflu'r dŵr ar y talp marmor, fe greoch chi y storm enbyd ac annaturiol yna o gesair, a bu'n rhaid i bawb sydd yn byw yn fy nheyrnas wynebu ei grym enbyd. Oherwydd eich gweithred chi, mae popeth wedi ei ddifa. Fi yw Ceidwad y Ffynnon a Gwarcheidwad y deyrnas hon. Fy nyletswydd i yw eich herio i ymryson hyd angau.'

Wrth imi glywed y geiriau hyn, ymddangosodd marchog mewn melfed du, ar geffyl cyn ddued â'r frân a chyda phenwn o liain du ar ei waywffon. Rhuthrodd y ddau ohonom at ein gilydd ac ymladd yn ffyrnig. Roedd yr ymladd mor dreisgar fel i ni dorri gwaywffyn ein gilydd. Gafaelodd y ddau ohonom yn ein cleddyfau ac ymladd yn ddi-ball heb i'r naill na'r llall ildio yr un fodfedd. Yn y diwedd, trawais un ergyd anferthol ar ben y marchog a thorri ei helm yn ddwy ran, gan gyrraedd bron at ei ymennydd. Wedi ei glwyfo bron hyd angau, llwyddodd y Marchog Du i droi pen ei geffyl a ffoi am y castell gyda minnau yn dynn ar ei sodlau.

Cyrhaeddodd y Marchog Du borthcwlis ei gastell a chan iddo adnabod ei feistr, cododd y porthor y glwyd a'i adael i mewn. Ond, er mwyn fy atal i rhag rhuthro ar ei ôl, gollyngodd y porthcwlis mor sydyn fel y torrodd fy ngheffyl druan yn ddau hanner fel bod ei ddarn ôl y tu allan i'r castell a minnau rhwng y gatiau ar ei ran flaen!

Ac yn y fan honno baswn i wedi aros, mewn dirfawr angen cymorth, oni bai i mi ddarganfod gwir ffrind. Merch hardd o'r enw Luned oedd hi.

Er gwaethaf fy sefyllfa anghyffyrddus ar gefn rhan flaen fy ngheffyl, rhaid fy mod wedi hepian cysgu oherwydd dihunais yn oriau mân y bore wedyn. Clywais lais merch uwch fy mhen.

'Y nefoedd fawr,' meddai.

Edrychais i fyny a gweld wyneb tlws yn syllu i lawr arnaf.

'Fel y gwelwch,' meddwn yn anghysurus braidd, 'nid wyf mewn cyflwr lle medraf agor y glwyd,' ac ychwanegu ychydig yn anghwrtais, 'a go brin y gall meinwen ifanc fel chi fod o unrhyw gymorth ychwaith.' Rhaid cyfaddef fy mod yn teimlo'n wirion a di-urddas wrth iddi syllu arnaf.

Gwenodd y ferch iddi ei hun, fel petai'n gwybod mwy nag yr oedd am ei ddweud.

'Cyn i mi gynnig eich helpu, rhaid ichi ddweud eich enw wrthyf fi.'

'Owain ab Urien ydw i, un o farchogion y Brenin Arthur.'

'Wel, Owain ab Urien, beth am weld os gallaf fi eich helpu allan o'ch trybini,' meddai, a chan blygu dros y wal, tynnodd fodrwy oddi ar ei bys a'i chynnig i fi. Estynnais fy llaw a gafael yn y fodrwy.

'Cadwch y fodrwy yn ddiogel yng nghledr eich llaw fel na all unrhyw un weld y garreg yn ei chanol,' meddai. 'Tra bo'r garreg wedi ei chuddio, fedr neb weld y person sy'n dal y fodrwy.'

Edrychais yn chwilfrydig ar y cylch aur a orweddai yng nghledr fy llaw. Disgleiriai saffir mawr glas yn ei ganol.

'Mae marchogion y castell yn chwilio amdanoch chi. Byddant yn sicr o'ch lladd os cân nhw afael ynoch, ond byddwch yn ddiogel tra cuddiwch y garreg gan fod hynny yn eich gwneud yn anweladwy. Cyn hir fe ddônt at furiau'r castell, er mwyn chwilio amdanoch yn y tiroedd gerllaw. Pan fyddant yn agor gatiau'r castell, gallwch sleifio i mewn. Byddaf yn aros amdanoch chi, yn ymyl y garreg farch yna.' Pwyntiodd at y garreg farch ger y gatiau. 'Ni fyddaf fi yn medru eich gweld ychwaith ond os cyffyrddwch eich llaw ar fy ysgwydd, byddaf yn eich arwain i le diogel. Luned yw fy enw ac rwy'n gweini ar y Foneddiges sydd berchen ar y castell.'

Byddwn wedi hoffi holi'r ferch ryfedd hon, ond cyn gynted ag yr oedd wedi gorffen siarad, diflannodd o'm golwg. Roeddwn yn ofni ei bod, efallai, am fy arwain i ragor o helynt, ond gan fy mod wedi fy nal rhwng dwy o gatiau'r castell, â'm ceffyl wedi ei dorri'n ddau a hanner arall y truan y tu allan i'r muriau, doedd gen i ddim dewis ond dilyn ei chyfarwyddiadau. O leiaf pe medrai hi fy rhyddhau, byddwn mewn gwell sefyllfa i wynebu unrhyw beryglon eraill.

Felly cuddiais y fodrwy yn fy llaw ac aros. Clywais y marchogion yn gorymdeithio ar ochr arall y muriau, fwy na thebyg yn chwilio amdanaf fi fel yr oedd Luned wedi rhagweld. Clywais y gatiau yn cael eu hagor ac ymddangosodd milwyr, yn chwilio amdanaf ymhob man. Neidiais oddi ar fy ngheffyl a llithro heibio i'r dynion at Luned oedd yn fy nisgwyl ger y garreg farch, yn ôl ei haddewid. Crynodd ychydig wrth deimlo fy llaw anweledig ar ei hysgwydd, ond ni roddodd unrhyw arwydd arall ac arweiniodd fi y tu mewn i'r castell ac i ystafell fawr a hardd.

Edrychodd o'i chwmpas; roeddwn i yn dal yn dynn yn y fodrwy a fedrai neb fy ngweld. Agorais gledr fy llaw a dangos y saffir glas.

'A!' meddai wrth fy ngweld yn sefyll o'i blaen. 'Rwy'n falch eich bod wedi derbyn fy nghyngor. Rydych yn ddiogel ar hyn o bryd. Cewch ymolch a newid fan yma,' aeth yn ei blaen. 'Rwyf wedi paratoi dŵr poeth a dillad glân i chi.'

Wedi i fi ymolch a newid, roeddwn wedi adfywio. Roedd Luned wedi paratoi pryd o fwyd i fi ac nid oeddwn wedi profi pryd mor rhagorol ers talwm na drachtio gwin mor flasus; roeddwn yn llwglyd iawn a bwyteais ac yfais yn galonnog. Yna, wedi fy llorio gan flinder, cysgais yn drwm tan yn hwyr drannoeth.

Cefais fy neffro gan sŵn clychau a chryn gwynfan. Neidiais ar fy nhraed mewn dychryn. Eisteddai Luned yn dawel ar fainc yn fy ymyl.

'Beth yw'r twrw yna?' gofynnais.

'Mae'r marchog sydd berchen ar y castell yn marw,' meddai.

Ddywedais i yr un gair.

Toc wedyn, cynyddodd y twrw o'r tu allan i'r ffenestr.

Edrychais allan a gweld gorymdaith ddwys o ddynion, bechgyn a gwragedd yn galaru. Roedd pob un yn gwisgo du ac yn dilyn arch wedi ei chludo ar elorgerbyd ysblennydd a dynnid gan bedwar ceffyl du. Arweiniwyd y gwragedd gan y ddynes harddaf i mi ei gweld erioed.

'Beth sydd wedi digwydd nawr?' gofynnais, yn fawr fy nghyffro.

'Mae'r marchog wedi marw. Ef oedd gŵr y Foneddiges,' atebodd Luned yn dawel. 'Mae hi'n hollol ddiymadferth nawr ac ar ei phen ei hun. Roedd yn ddyn pendefigaidd a dewr ac ef oedd yn amddiffyn y Ffynnon a'n tiroedd rhag peryglon o bob math. Nawr ei fod ef wedi marw, gallwn golli ein tiroedd a bydd y Ffynnon mewn perygl mawr.'

'Pa fath o berygl?' holais. 'Pam fod gwarchod y Ffynnon mor bwysig?'

'Mae'r Ffynnon cyn hyned ag amser,' meddai Luned, 'a phetai anwariaid neu anifeiliaid gwyllt yn ymosod arni byddai llifogydd yn gorchuddio ein tir ac efallai byddai amser ei hun yn dod i ben. Fy meistres yw Iarlles y Ffynnon. Hi sydd yn gofalu amdani bellach a rhaid iddi hi sicrhau ei bod yn cael ei hamddiffyn bob amser. Er mwyn gwneud hyn, bydd raid iddi gael amddiffynnydd fydd yn addo bod yn Geidwad y Ffynnon iddi.'

'Felly fy nyletswydd i yw cymryd lle gŵr y Foneddiges,' meddwn yn ddewr. 'Arnaf fi mae'r bai am ei gofid oherwydd fi a'i lladdodd a nawr dyma fy nghyfle i wneud iawn iddi.'

'Bydd gwir angen amddiffynnydd ar fy Arglwyddes, nawr bod ei gŵr wedi marw. Fe brofoch chi mai chi oedd drechaf pan roesoch ergyd farwol i'r Marchog Du. Efallai mai chi yw'r un mwyaf priodol i gymryd ei le.'

'Dydw i ddim yn credu y bydd hi'n cytuno gyda chi,' mwmiodd Owain. 'Wnaiff hi ddim derbyn llofrudd ei gŵr.'

'Felly rhaid i fi geisio ei pherswadio,' meddai Luned. 'Rhaid i chi ymddangos fel amddiffynnydd addas a chyflwyno eich hun iddi hi.' Cododd Luned o'r fainc. 'Yn y cyfamser fe af i siarad gyda hi.'

Digwyddodd popeth fel yr addawodd Luned."

Roedd stori Owain ar fin dod i ben. Roedd ei gyfeillion wedi gwrando yn astud ar bob gair.

"Perswadiodd ei meistres fod arni angen amddiffynnydd teilwng i ofalu am ei thiroedd a'r Ffynnon hynafol roedd hi mor ddibynnol arni. Canmolodd fy newrder ac awgrymu mai un o farchogion y brenin Arthur fyddai'r dewis gorau i lenwi bwlch y gŵr ffyddlon a dewr roedd hi wedi ei golli. Ac er bod y Foneddiges yn gyndyn iawn ar y dechrau i dderbyn y dyn oedd wedi trechu ei harglwydd, sylweddolodd mai dilyn cyngor Luned fyddai orau a'r cam doethaf.

Cytunodd i gyfarfod â fi a chyflwynais fy hun iddi gyda holl gwrteisi ac ymarweddiad un o farchogion Arthur. Edrychodd hi arnaf yn ffafriol a'm derbyn fel Ceidwad y Ffynnon. Ymladdais yn ddewr i'w hamddiffyn rhag anwariaid ac anifeiliaid rheibus. Gwnes i hyn am dair blynedd. Yna, fel y gwyddoch, fy Arglwydd Frenin, cyrhaeddoch chi gyda Cai ac eraill a pherswadio fy arglwyddes i adael i fi ddychwelyd atoch chi am gyfnod byr. A dyma fi, yn barod i'ch gwasanaethu fel y mynnoch.

Dyna ddiwedd fy stori," meddai.

Bu Arthur a'i gwmni yn dawel am beth amser, yn ystyried yr holl anturiaethau rhyfeddol yr oedd Owain wedi eu disgrifio. Yna meddai Arthur, "Rwyf wedi clywed storïau rhif y gwlith am anturiaethau fy marchogion, ond dy anturiaethau di, Owain, yw'r rhai mwyaf rhyfeddol hyd yn hyn."

Roedd y marchogion eraill yn cytuno gyda'u brenin ac am lawer dydd a nos bu cryn ddathlu bod Owain wedi dychwelyd i lys Arthur.

Gwaetha'r modd, ni chadwodd Owain ei addewid i ddychwelyd at y Foneddiges ac aeth yn ei flaen i brofi llawer o anturiaethau ffyrnig a chyffrous eraill. Dychwelodd lawer blwyddyn yn ddiweddarach a'i helpu i drechu ei gelynion ond wnaeth e byth wedyn aros gyda hi yn ei chastell i'w helpu i amddiffyn ei thiroedd a bod yn Geidwad y Ffynnon.

* * *

Flynyddoedd wedyn, roedd Owain yn marchogaeth drwy'r dyffryn ger y ffynnon ar ei ben ei hun. Roedd yn wlyb at ei groen. Ymlwybrodd ei geffyl mawr gwinau yn ei flaen, gan lithro o bryd i'w gilydd. Roedd golwg flinedig a thruenus arno, â'i fwng yn glynu yn llaes yn ei wddf wrth iddo wthio ymlaen bob tro y byddai ei feistr yn siglo'r ffrwyn. Roedd wedi marchogaeth drwy storm enbyd o fellt a tharanau â chesair trwm yn dilyn y glaw. Ond roedd yr haul wedi ymddangos erbyn hyn a chwiliodd Owain am le i orffwys. Roedd rhai o'r llethrau o gwmpas y ffynnon yn edrych yn gyfarwydd a phenderfynodd droi am y mannau hynny i gael hoe a diod cyn parhau ar ei daith. Disgynnodd oddi ar ei geffyl a defnyddio ei holl nerth i godi'r maen oddi ar y ffynnon fel y gallai ei geffyl ffyddlon dorri ei syched. Yna yfodd yntau hefyd yn ddwfn am amser hir. Gorweddodd ar y ddaear nes i wres yr haul ei lethu ac, wedi llwyr ymlâdd, aeth i gysgu. Yn anffodus, yn ei flinder mawr, anghofiodd ailosod y maen oedd yn gorchuddio'r ffynnon.

Tra ei fod ynghwsg yn y grug, breuddwydiodd Owain am genllifoedd cynddeiriog yn ei amgylchynu. Teimlai ei fod yn disgyn i mewn i ddŵr dwfn ac yn boddi, gan fod ei freuddwyd mor real. Deffrodd yn sydyn a gweld bod yn dŵr yn llifo o gwmpas ei bigyrnau.

Neidiodd i'w draed a gweld bod llyn mawr o'i flaen. Edrychodd am y ffynnon ond doedd dim golwg ohoni. Yn rhy hwyr, cofiodd nad oedd wedi gosod y maen mawr yn ôl yn ei le. Roedd y ffynnon wedi diflannu! Y cyfan y medrai ei weld oedd llyn mawr oedd yn tyfu yn fwy ac yn ddyfnach fesul eiliad ac yn bygwth ei foddi ef, ei geffyl a'r holl dir o'i gwmpas.

Roedd Owain yn orffwyll. Gwyddai fod yn rhaid iddo wneud rhywbeth ar fyrder i atal y dŵr rhag boddi'r tir. Gan deimlo bod greddf ryfedd yn ei arwain, neidiodd ar ei geffyl a marchogaeth i dir uwch. Carlamodd y ceffyl a'i farchog o amgylch y llyn, unwaith, ddwywaith, deirgwaith. Bob tro, roedd fel petai grym y dŵr yn lleihau. Roedd wedi atal y dŵr rhag boddi'r tir o'i amgylch. Yna ffrwynodd Owain y ceffyl. Edrychodd allan dros y dyfroedd mawr. Roedd y llyn llwydlas yn disgleirio yn dawel a llyfn. Chwiliodd Owain yn ofer am arwydd o'r maen mawr a'r ffynnon hud, ond doedd dim i awgrymu iddynt fodoli erioed.

Ond, wrth i Owain syllu i ganol y llyn gwelodd symudiad bach ar yr wyneb. Cododd swigen neu ddwy i'r wyneb ac yna diflannu. Meddyliodd Owain am y ffynnon na fyddai neb yn ei gweld eto; dychmygodd beth fyddai wedi digwydd pe na bai wedi gweithredu'n sydyn i atal y dŵr rhag boddi'r tir.

Yn ei gywilydd am yr hyn yr oedd wedi ei achosi, aeth Owain yn ôl i'w ogof yng Nghraig y Ddinas yn Llandybïe a welodd neb mohono byth wedyn. Dywedir ei fod ef a'i farchogion yn cysgu yno ac na fyddant yn deffro tan fod y wlad hon mewn gwir angen.

Ac enw'r llyn hwn yw Llyn Llech Owain.

Morwyn Llyn y Fan Fach

OS YDYCH CHI eisiau ymweld â Llyn y Fan, bydd yn rhaid ichi fod yn gyfarwydd â'r ffordd, am ei fod wedi ei guddio rhag y teithiwr cyffredin.

Mae'n swatio saith milltir i'r de o Lanymddyfri nid nepell o bentref Myddfai. Byddwch yn mynd heibio i ffermydd tawel, coedwigoedd, a llwyni prydferth yn llawn blodau gwyllt. Wrth gyrraedd croesffordd, fe welwch dafarn ac arwydd yn arwain at Lyn y Fan Fach. Yma bydd wyneb y ffordd yn gwaethygu cyn troi'n fawr gwell na llwybr. Mae hostel ieuenctid yn sefyll ar y dde ac yn nes ymlaen, saif eglwys ar y cornel. Wrth i chi ddal i fynd yn eich blaen, cewch weld ffermydd glân a cheffylau yn pori. Ymhen hir a hwyr byddwch yn croesi grid gwartheg ac yn dechrau dringo am i fyny ar hyd llwybr garw. Mae creigiau llyfn yn fframio ochrau'r bryniau, blynyddoedd o dywydd wedi eu ffurfio i bob siâp a maint, a cherrig cwarts gwyn yn gorwedd ar hyd y lle. Mae dŵr yn byrlymu dros y creigiau a'r cerrig ac mae defaid yn pori mewn mannau peryglus, serth, neu yn neidio yn sicr eu traed dros y nentydd. Yr unig sŵn sydd yn tarfu ar y distawrwydd rhyfeddol yw siffrwd y dŵr a lleisiau yn y pellter.

I gyrraedd glan y llyn, rhaid i chi gerdded dros y glaswellt mynyddig talpiog, bras. Mae sgarpiau llwydlas o dywodfaen Pennant yn disgyn tuag at y llyn. Yn y gwanwyn mae clychau gleision, dant y llew, blodau'r gwcw, llygadlys melyn a gorthyfail llyfn yn tyfu blith draphlith yn y gwrychoedd; mae'r fioled yn gorchuddio'r torlannau ac mae pyllau yn y creigiau.

Mae'r mynyddoedd sydd yn esgyn rhai metrau yn gwarchod y llyn ar ddwy ochr. Mae glaswelltiroedd gwastad ar yr ochrau eraill yn arwain at ddŵr bas. Yma y cerddodd Nelfach o'r llyn yn arwain ei gwartheg fel gwaddol i Rhiwallon.

Mae'r awyr yn las, y cymylau fel plu elyrch. Does dim sôn am bobl, ond sŵn y dŵr a'r awel yn cyffwrdd eich wyneb.

Ar bolyn gerllaw, saif cigfran.

Dros wyth can mlynedd yn ôl, ar ddiwedd y ddeuddegfed ganrif, roedd gwraig weddw yn byw mewn pentref o'r enw Blaensawdde, dwy filltir o'r llyn. Roedd ei gŵr wedi ei ladd wrth ymladd yn erbyn Tywysogion De Cymru, ac roedd yn magu ei hunig fab ar ei phen ei hun. Er gwaethaf ei hanawsterau, roedd ei stoc o wartheg wedi cynyddu gymaint fel nad oedd ganddi ddigon o dir pori yn agos i'w chartref ac roedd wedi anfon peth o'r gyrr i fwynhau glaswellt y Mynydd Du gerllaw. Un o'r hoff leoedd ar gyfer pori oedd Llyn y Fan Fach.

Rhiwallon oedd enw mab y weddw. Pan oedd wedi tyfu yn ddyn, etifeddodd y fferm gan ei fam a oedd bellach yn rhy wantan i ofalu am y tyddyn ar ei phen ei hun.

Un diwrnod, eisteddai Rhiwallon ar dwmpath gwelltog gan edrych yn freuddwydiol ar lo brown hardd oedd yn gorwedd yn ymyl buwch fawr frown a gwyn a oedd yn cnoi cil ar lan y dŵr llonydd.

Edrychodd ar draws y llyn a chael ei synnu o weld rhith o ddynes hardd yn eistedd ar wyneb y dŵr, yn trin ei gwallt â chrib aur. Ymddangosai ei ffurf osgeiddig mor dryloyw â gwawn, ei chroen cyn wynned ag ewyn y llyn, ei dwy lygad emrallt fel lliw y dyfroedd a'i gwallt fel pelydrau aur yr haul.

Yn sydyn symudodd y ffigwr heini a newid, gan droi yn ddwy ddelwedd, un yn codi oddi ar y dŵr, y llall yn cael ei hadlewyrchu dan ei wyneb gloyw. Roedd Rhiwallon wedi ei syfrdanu. Safodd a siglo ei hun, gan feddwl ei fod yn breuddwydio.

Roedd ganddo ychydig o fara yn ei ddwrn ac, heb wybod pam, daliodd ei law allan at y ferch a chynnig y bara iddi. Llithrodd hithau tuag ato a cheisiodd y dyn ifanc gyffwrdd â hi ond llwyddodd y ferch i'w osgoi a diflannodd yn ôl i'r llyn. Roedd Rhiwallon, oedd wedi ei hudo gan ei phrydferthwch, wedi ei siomi'n arw; byddai wedi hoffi dod i adnabod y forwyn yn well.

Ar ôl cyrraedd gartref, rhannodd ei stori ryfeddol gyda'i fam.

"Cynigiais fara iddi," meddai, "ond gwrthod wnaeth hi a diflannu yn ôl i'r dŵr."

Ystyriodd ei fam hyn yn ddwys:

"Roedd y bara wedi ei grasu gormod. Ni allai creadur mor ddestlus â hon ei dderbyn. Fe wnaf dorth arall i ti a chawn weld a fedri di ei hennill yr ail dro."

Felly, aeth ei fam ati i bobi torth arall i Rhiwallon ac aeth yntau eilwaith at y llyn. Eisteddodd ar y lan am oriau lawer, ond yn ofer, achos doedd yr un golwg o'r forwyn. Yna sylwodd ar ei wartheg yn symud at ochr fynyddig y llyn, er nad oedd y pori gystal yn y fan honno. Er na fedrai ddeall beth oedd yn digwydd, dilynodd Rhiwallon ei anifeiliaid a gweld y feinwen, yn eistedd ar y dŵr, ar waelod y llethr, yn trin ei gwallt hir lliw aur fel cynt.

Cynigiodd Rhiwallon ddarn o dorth ei fam iddi am yr ail dro. Unwaith eto, siglodd y ferch ei phen, ond gwenodd cyn diflannu dan wyneb y dŵr.

Roedd cofio am ei gwên yn rhoi achos i Rhiwallon obeithio ychydig. Aeth am adref a sôn wrth ei fam am yr hyn oedd wedi digwydd y tro hwn.

"Wnaeth hi ddim derbyn fy mara," eglurodd, "ond cefais wên ganddi cyn iddi ddiflannu unwaith yn rhagor i mewn i'r dŵr."

"Rhaid bod y bara yn rhy feddal y tro hwn," meddai ei fam. "Beth am i mi wneud torth sydd ddim yn rhy galed nac yn rhy feddal."

Ac fe aeth y fam ati i bobi torth am y trydydd tro a'i rhoi i'r mab. Arweiniodd Rhiwallon ei yrr o wartheg i'r llyn unwaith yn rhagor, gyda'r bara cymedrol yn ei boced. Arhosodd ar lan y llyn gydol y dydd nes bod yr haul ar fin machlud. Yna, ag ochenaid ddofn, trodd i adael, gan feddwl nad oedd gobaith iddo weld y forwyn eto. Dechreuodd hel y da ynghyd a throi tuag adref, yn drwm ei galon. Taflodd un olwg olaf dros ei ysgwydd. Ac er mawr syndod iddo, gwelodd nifer o fuchod yn cerdded ar wyneb y dŵr!

Gwyliodd yn gyffrous, gan feddwl bod yr olygfa ryfedd hon yn golygu ei fod yn siŵr o weld ei feinwen ryfedd unwaith eto. Ac ni chafodd ei siomi achos ymddangosodd hithau hefyd, y tu ôl i'r gwartheg, yn cerdded ar wyneb y llyn! Wrth iddi hi nesáu at y lan, rhedodd ef i gwrdd â hi ac fe wenodd hi wrth iddo estyn am ei llaw. Ni wrthododd y bara ychwaith.

"Rwy'n amau nad yw amser yn golygu yr un peth i ti yn y byd lle rwyt ti'n byw ag yw e i fi," meddai Rhiwallon. "Rwyf wedi aros mor hir i dy weld ac roeddwn yn meddwl fy mod wedi dy golli di am byth. Rwyt wedi ennill fy nghalon yn llwyr a hoffwn i ti aros fan hyn gyda fi, ar y ddaear, hyd ddiwedd fy mywyd."

Cytunodd y forwyn, er mawr lawenydd i'r dyn ifanc.

"Fe ddof fi gyda ti, Rhiwallon," meddai, "ac fe fyddaf yn driw i ti, ar un amod: os byddi yn fy nharo dair gwaith, a hynny heb achos, byddaf yn dychwelyd i'r lle y deuthum ohono a byddi yn fy ngholli am byth. Nawr aros fan hyn am ychydig eto; rwy'n addo na fyddaf yn hir y tro hwn."

Gan ollwng ei law, llithrodd hithau i'r dŵr.

Safodd Rhiwallon yn ofidus ar lan y llyn, yn poeni ei fod wedi ei cholli eto ond toc fe welodd nid un ond dwy forwyn yn codi o'r dŵr, ynghyd â dyn urddasol ei bryd a edrychai yn gryf ac yn ifanc er bod ei wallt yn frith gan oedran.

"Ydych chi am briodi un o fy merched?" gofynnodd yr henwr.

"Os na wnaf, byddaf farw," atebodd Rhiwallon.

"Byddai hynny yn drueni, gan dy fod yn llanc ifanc golygus," meddai'r dyn. "Cyflwynaf hi yn hapus i ti ond fel y gweli mae gen i ddwy ferch. Dangos i mi pa un wyt ti'n credu yw dy wir gariad, ac fe gaiff hi fod yn wraig i ti."

Roedd Rhiwallon yn methu'n glir â deall. Roedd y ddwy forwyn mor debyg i'w gilydd fel na fedrai wahaniaethu rhyngddynt. Wrth iddo oedi, ochneidiodd un o'r merched ychydig a gwthiodd ei throed fach allan o dan ei dillad. Tynnodd hynny sylw Rhiwallon ac fe gofiodd iddo weld y cwlwm cain ar ei hesgid wrth iddi gamu i lan y llyn am y trydydd tro a derbyn ei ddarn o fara.

Gan ddal ei llaw meddai, "Dyma'r ferch rwy'n ei charu gyda'm holl galon."

"Rwyt wedi dewis yn ddoeth," meddai'r hen ddyn. "Bydd yn ŵr ffyddlon a charedig iddi ac fe roddaf iddi, fel ei gwaddol, gynifer o ddefaid, gwartheg, geifr a cheffylau ag y gall eu cyfrif gydag un anadl. Ond rhaid i mi ailadrodd y rhybudd mae hi wedi ei roi i ti eisoes. Os wyt ti yn ei tharo dair gwaith, heb achos, byddi yn ei cholli hi a'i gwaddol."

Tyngodd Rhiwallon ei lw yn ddiffuant. Nid oedd yn meddwl y byddai'n anodd cadw addewid o'r math hwn. Ni fedrai yn ei fyw ddychmygu ei hun yn taro y fath greadures brydferth.

Felly safodd y feinwen ar lan y llyn a chymryd un anadliad dwfn dros ben, y cyfan a gâi ei gymryd, a dechreuodd gyfrif. Rhifodd fesul pump gynifer o weithiau ag y medrai, un ar ôl y llall, nes bod ei gwynt yn ei dwrn. Wrth iddi gyfrif, galwodd ei thad ar yr holl anifeiliaid yr oedd wedi eu haddo yn waddol i'w ferch.

Yn gyntaf, galwodd ei thad ar yrr o ddefaid iach eu golwg o'r dyfnderoedd; ymgasglodd y rhain ar lan y llyn.

Gyda'r un anadl, parhaodd hi i gyfrif wrth i'w thad alw ar y gwartheg gwynion cryf a daethant hwythau hefyd allan o'r dŵr i sefyll ar y dorlan.

Gyda'r un anadl, aeth yn ei blaen i gyfrif wrth i'w thad alw ar y geifr cryfion a ymunodd â'r creaduriaid eraill, gan neidio o amgylch a bwrw ei gilydd yn chwareus.

Gyda gweddill ei hanadl cyfrifodd wrth i'w thad alw ar nifer helaeth o geffylau rhagorol a ddaeth allan o'r dŵr gan drotian a charlamu, a sefyll yn gweryru ac yn siglo eu myngau, yn ymyl y defaid, y gwartheg a'r geifr.

Anadlodd y forwyn yn ddwfn ac edrych yn fuddugoliaethus ar y gwaddol oedd ganddi i'w gynnig i'w gŵr newydd.

Ffarweliodd â'i thad a'i chwaer a gafael yn llaw Rhiwallon.

Cerddodd y ddau ynghyd i'r tyddyn bach ym Mlaensawdde. Rhiwallon oedd yr hapusaf o blith dynion; roedd wedi ennill gwraig hardd a gwaddol gwych fyddai'n dod â chryn gyfoeth iddo.

Gwnaeth y pâr ifanc gartref iddynt eu hunain, ynghyd â'u gwartheg ac anifeiliaid eraill, ar fferm Esgair Llaethdy, milltir o bentref Myddfai, lle bu'r ddau yn byw yn ffyniannus iawn am lawer blwyddyn. Ganed tri mab i'r cwpwl, bob un am yr harddaf.

Un diwrnod, cawsant wahoddiad i fedydd. Roedd y ferch yn gyndyn i fynd, gan honni ei bod yn rhy bell iddi deithio. Ond roedd Rhiwallon yn benderfynol ei fod am fynd i'r digwyddiad gan mai nhw oedd gwesteion arbennig y rhieni.

Perswadiodd Rhiwallon ei wraig. "Cer i ymofyn un o'r ceffylau sydd yn y cae. Bydd hynny yn gwneud y daith yn haws i ti."

Trodd y wraig tuag at y stabl, yn ufudd i'w gŵr. Yna oedodd. "Rwy wedi gadael fy menig yn y tŷ," meddai. "Ei di i'w casglu i fi, tra fy mod i yn mynd am y ceffyl?"

Aeth Rhiwallon yn ôl i'r tŷ a dychwelyd gyda'r menig. Roedd yn siomedig i weld bod ei wraig yn dal i loetran ac heb wneud unrhyw ymdrech i nôl y ceffyl. Yn chwareus, cyffyrddodd ei hysgwydd yn ysgafn ag un o'r menig, gan ddweud "Brysia, neu fe fyddwn yn hwyr!"

Edrychodd hi arno yn drist a dweud, "Dyna'r tro cyntaf i ti fy nharo heb achos. Cofia dy addewid."

Ar ôl y cerydd hwn roedd Rhiwallon yn dawel weddill y dydd, gan gofio iddo roi ei air iddi hi a'i thad ar lan Llyn y Fan Fach.

Ychydig fisoedd yn ddiweddarach, gwahoddwyd Rhiwallon a'i wraig i briodas. Roedd y gwesteion yn cael hwyl ac yn mwynhau'r digwyddiad yn fawr pan ddechreuodd y ferch wylo'n hidl. Roedd ei hymddygiad wedi synnu'r gwesteion eraill a throdd pawb i edrych arni. Cyffyrddodd Rhiwallon ei hysgwydd a gofyn beth oedd wedi tarfu gymaint arni.

Edrychodd arno yn drist. "Rwy'n meddwl am y trafferthion y bydd yn rhaid i'r ddau hyn eu hwynebu mewn blynyddoedd i ddod a bod dy ofidiau dithau hefyd ar fin dechrau. Wyt ti'n sylweddoli, fy ngŵr annwyl, dy fod wedi fy nharo am yr ail dro. Os digwydd hyn eto, byddi yn fy ngholli am byth."

Roedd Rhiwallon mor isel ei ysbryd nes iddo guddio ei wyneb yn ei ddwylo a chrio yn arw. Tyngodd lw y byddai yn ofalus iawn yn y dyfodol gan ei fod yn caru ei wraig yn angerddol a doedd e ddim am ei cholli.

Aeth blynyddoedd heibio a thyfodd y tri mab i fod yn ddynion cryfion, hyfryd ac yn arbennig o glyfar. Roedd bywyd yn dda a dechreuodd Rhiwallon anghofio mai unwaith yn unig roedd angen iddo daro ei wraig eto er mwyn iddo ddifa ei hapusrwydd a'i ffyniant.

Bu farw mam Rhiwallon. Roedd yn torri ei galon achos roedd wedi caru ei fam yn fawr iawn. Yn yr angladd, ni fedrai guddio ei ddagrau na'i alar ingol. Wrth iddo ef a'i wraig benlinio gyda'i gilydd yn yr eglwys, clywodd sŵn o enau ei gymar. Drwy ei ddagrau edrychodd arni a phrin y medrai gredu ei lygaid. Roedd hi'n gwenu ac yn chwerthin iddi ei hun; edrychai mor hapus fel petai'r ddau yn dathlu priodas rhywun! Roedd Rhiwallon yn syfrdan. Cyffyrddodd ei hysgwydd:

"Bydd dawel nawr, cariad," meddai. "Plîs paid chwerthin fel yna."

"Rwy'n chwerthin," eglurodd, "am fod pobl yn ffarwelio â'u problemau pan fyddan nhw farw." Oedodd ac edrych yn drist ar ei gŵr.

"Rwyt ti wedi fy nharo am y tro olaf," rhybuddiodd. "Mae ein cytundeb priodasol wedi dod i ben."

Ac ar y gair, dyma hi'n troi am Esgair Llaethdy lle galwodd ynghyd yr holl wartheg a gweddill y da byw.

I ddechrau, galwodd ar y da a daethant ati o'r ysguboriau a'r beudai a'r caeau lle roeddynt yn

pori. Yna galwodd ar y defaid a daeth y rheiny gan neidio a phrancio o'r caeau gwyrddion a llethrau'r mynyddoedd. Galwodd ar y geifr a daeth y rhain hefyd gan lamu o'r creigiau a'r llwyni. Ac yna galwodd ar y ceffylau a daethant ati ar drot, dan weryru. Pan oedd wedi dwyn yr holl anifeiliaid ynghyd fel hyn arweiniodd nhw dros y Mynydd Du, tua'r llyn yr oeddynt wedi codi ohono, pellter o fwy na chwe milltir. Diflannodd pob un i'r dŵr a chaeodd y dyfroedd amdanynt nes bod dim ôl o na merch na chreadur yn unlle.

Roedd Rhiwallon bron â gwallgofi oherwydd ei dristwch llethol. Roedd y wraig roedd yn ei charu yn fwy na bywyd wedi mynd oddi wrtho am byth. Rhuthrodd at lan y llyn ac, yn ei ing, taflodd ei hun i'r dŵr. Ni welwyd mohono byth wedyn.

Ar ôl y digwyddiad trist hwn, byddai'r meibion yn crwydro yn aml i ymyl y llyn gan obeithio y câi eu mam ddangos ei hun iddynt unwaith yn rhagor. Roedd eu tad wedi sôn wrthynt yn aml am gefndir rhyfedd eu mam a sut yr oedd wedi ymddangos iddo a dod â'r gwaddol o wartheg a da byw o ganol y dyfroedd.

Un diwrnod roedd y tri mab yn cerdded ger Dôl Hywel yng Ngât y Mynydd a elwir bellach yn Gât y Meddygon. Ymddangosodd y fam a galw ar ei chyntaf anedig.

"Fy mab annwyl," meddai, "cymer hwn fel arwydd o'm cariad a'm bendith." Cynigiodd waled iddo a chymerodd ef yr anrheg yn syn a thawel. Rhoddodd ei law i mewn a thynnu allan femrwn ac arno bennill ar ôl pennill yn cynnwys ffyrdd i wella pobl o'u tostrwydd a'u heintiau.

"Dyma fy anrheg i ti a'm haddewid, mai ti a dy blant fydd y meddygon gorau am genedlaethau i ddod."

Gadawodd hi ei mab i ystyried ei geiriau a'i phroffwydoliaeth, ond daeth yn ei hôl lawer tro i siarad gydag ef a'i frodyr.

Unwaith, aeth gyda nhw cyn belled â lle a elwir bellach yn Bant y Meddygon, lle dangosodd iddynt y planhigion a'r perlysiau oedd yn tyfu yno gan egluro eu holl rinweddau meddyginiaethol.

Dywedir bod y tri mab wedi dod yn feddygon i Rhys Grug, Arglwydd Llanymddyfri a Chastell Dinefwr ac i hwnnw roi tiroedd a breintiau ym

Myddfai iddyn nhw. Roedd hyn yn golygu bod meibion Rhiwallon a Morwyn y Llyn yn gallu cynnig y cyngor a'r gofal meddygol gorau oedd ar gael, a hynny am ddim, i unrhyw un mewn angen, beth bynnag oedd eu safle mewn cymdeithas.

Doedd gan neb well enw na'r tri meddyg hyn a daethant yn enwog ledled y wlad. Buont yn ddigon doeth i gofnodi eu gwybodaeth fel y gallai fod o ddefnydd i genedlaethau'r dyfodol.

Os digwydd i chi ymweld â Myddfai heddiw bydd y trigolion yno yn barod iawn i rannu'r stori gyda chi, am Forwyn y Llyn a'i meibion, a adnabyddir o hyd fel Meddygon Myddfai.